ユヴァル・ノア・ハラリ
Yuval Noah Harari

パンデミック
緊急提言

Urgent Suggestions on the
PANDEMIC
ARTICLES AND AN INTERVIEW

寄稿とインタビュー

柴田裕之◉訳
Yasushi Shibata

河出書房新社

緊急提言　パンデミック　寄稿とインタビュー――目　次

序文　7

人類は新型コロナウイルスといかに闘うべきか――今こそグローバルな信頼と団結を　13

歴史に見る厖大な犠牲者　15
感染症との闘い　19
新型コロナウイルス感染症の意味　20
ウイルスの変異という脅威　23
ウイルスと人間の境界　26
必要なのは互いの信頼と団結　27

コロナ後の世界――今行なう選択が今後長く続く変化を私たちにもたらす　31

新しい監視ツール　35
重大な分岐点――「皮下」監視　37
緊急事態の一時的な措置は後まで続く――プディング令　41
プライバシーか健康か　42
「石鹸警察」はなぜ不要か　44
科学と公共機関とマスメディアへの「信頼」　45

グローバルな情報共有　47
医療と経済と移動のグローバルな合意　50
アメリカという空白　51

死に対する私たちの態度は変わるか？——私たちは正しく考えるだろう　55

避けようのない運命——死の意味　57
死は技術的問題に　59
延びる寿命は死後の世界への関心を失わせた　61
死に対する人間の態度　63
神の罰ではなくワクチンを　65
人命を守るためにさらに力を　67
いずれは死すべき存在　69
生の意義を考えるのは私たち一人ひとり　71

緊急インタビュー「パンデミックが変える世界」　インタビュアー　道傳愛子　73

発展途上国とウイルスの変異　75
歴史の決定的な瞬間　78
独裁か民主主義か　81

民主主義国家による大規模な監視社会　84
生体情報収集用のブレスレット　89
治安機関と医療機関　93
独り歩きをする緊急措置　95
透明で双方向の情報　97
どんな情報とどんな科学者を信じるべきか　99
協力と情報共有　100
集団的リーダーシップの必要性　104
パンデミックを生き延びるために　108

出典　113
訳者あとがき　117

緊急提言　パンデミック

寄稿とインタビュー

序文

この小さな本は、COVID-19（新型コロナウイルス感染症）のパンデミック（世界的大流行）とコロナ禍の歴史を綴ったものではない。その歴史を書く時間は、将来たっぷりあるだろう。今は歴史を作るときなのだ。ここに収録された記事が書かれ、インタビューが行なわれたのは、今回の危機が最初のピークを迎えた二〇二〇年三月と四月のことだ。当時、新型コロナウイルスは世界中に拡がり始めたばかりで、各国の政府と国民は状況の把握に努めており、政治家のなかには、ＣＯＶＩＤ‐19はただのフェイクニュースだとして、ファンタジーの世界に引きこもる者もいた。

これらの記事に書いた事柄やインタビューで述べた事柄のうちには、現実の展開にすでに追い抜かれてしまったものもあるが、主要なメッセージはなおさら重要性を増したと思っている。私たちは二〇二〇年三月の時点よりも今のほうが、国際協力の必要性や、グローバルなリーダーシップの救い難いまでの欠如、民衆扇動家や独裁者の危険性、監視テクノロジーの脅威を、なおいっそう痛感している。

私は歴史学者なので、医学的な助言はできないし、未来を予測することもできない。だが、歴史的な視点なら、少しばかり提供できる。感染症は農業革命以来、人間の歴史で中心的な役割を演じてきた。そして、しばしば経済危機や政治危機につながった。これまでの感染症と同じで、ＣＯＶＩＤ‐19に関しても、けっして忘れてはならないことがある。それは、ウイルスが歴史の行方を決めることはない、それを決めるのは人間である、ということだ。人間はウイルスより圧倒的に強力であり、この危機にどう対応するかを決めるのは、私たちなのだ。ポストコロナの世界のあり方は、今私たちが下すさまざまな決定にかかっている。

私たちが直面している最大の危険はウイルスではなく、人類が内に抱えた魔物たち、すなわち、憎悪と強欲と無知だ。私たちは今回の危機に臨んで、憎しみを燃え上がらせることもできる。たとえば、この感染症を外国人や少数派のせいにすることによって。あるいは、強欲を募らせるという反応の仕方もありうる。たとえば、この機に乗じて利益を増大させようとする大企業があるかもしれない。はたまた、私たちは危機を前にして無知をさらけ出すかもしれない。たとえば、馬鹿げた陰謀論を広めたり信じたりして。このような反応をしたら、現下の危機に対処するのがはるかに難しくなるだろうし、ポストコロナの世界は、分裂して、暴力があふれる、貧しいものとなることだろう。

だが、憎悪や強欲や無知を生み出すような反応を見せる必要はない。思いやりや気前の良さや叡智《えいち》を生み出すような対応も取りうる。陰謀論ではなく科学を信じるという選択をすることもできる。他者にこの感染症の責任を負わせて非難する代わりに、みなで協力する道を選ぶこともできる。自分たちがより多くを手に入れることばかり考えずに、持てるものを他者と分かち合うという選択も可能だ。もしこうした建設的な形で反応すれば、目の前の危機に取り組むことがはるかに易しくなるだろうし、ポストコロナの世界は、格段に繁栄し、円満なものとなることだろう。

今後の月日に、私たちが賢明で思いやりに満ちた決定を次々に下していくことを、そして、この危機からより良い世界を生み出せることを、心から願っている。

二〇二〇年七月

ユヴァル・ノア・ハラリ

COVID-19の被害者を支援するため、版元が売上金の一部を慈善団体に寄付できるよう、著者は本書の印税を放棄する。

人類は新型コロナウイルスといかに闘うべきか

——今こそグローバルな信頼と団結を

2020年3月15日「タイム」誌

多くの人が新型コロナウイルスの大流行をグローバル化のせいにし、この種の感染爆発が再び起こるのを防ぐためには、脱グローバル化するしかないと言う。壁を築き、移動を制限し、貿易を減らせ、と。だが、感染症を封じ込めるのに短期の隔離は不可欠だとはいえ、長期の孤立主義政策は経済の崩壊につながるだけで、真の感染症対策にはならない。むしろ、その正反対だ。感染症の大流行への本当の対抗手段は、分離ではなく協力なのだ。

歴史に見る厖大な犠牲者

感染症は、現在のグローバル化時代のはるか以前から、厖大《ぼうだい》な数の人命を奪ってきた。一四世紀には、飛行機もクルーズ船もなかったというのに、黒死病（ペスト）は一〇年そこそこで東アジアから西ヨーロッパへと拡がり、ユーラシア大陸の人口の四半分を超える七五〇〇万〜二億人が亡くなった。イングランドでは、一〇人に四人が命を落とし、フィレンツェの町は、一〇万の住民のうち五万人を失った。

一五二〇年三月、フランシスコ・デ・エギアという、たった一人の天然《てんねん》痘《とう》ウイルス保有者がメキシコに上陸した。当時の中央アメリカには電車もバスもなければ、ロバさえいなかった。それにもかかわらず、天然痘は大流行し、一二月までに中央アメリカ全域が大打撃を受け、一部の推定によると、人口の三分の一が亡くなったとされている。

一九一八年には、ひどい悪性のインフルエンザウイルスが数か月のうちに世界の隅々まで拡がり、五億もの人が感染した。これは当時の世界人口の四分の一を超える。インドでは人口の五％、タヒチ島では一四％、サモア諸島では二〇%が亡くなったと推定されている。このパンデミックは、一年にも満たぬうちに何千万(ことによると一億)もの人の命を奪った。これは、四年に及ぶ第一次世界大戦の悲惨な戦いでの死者を上回る数だ。

一九一八年以来の一〇〇年間に、人口の増加と交通の発達が相まって、人類は感染症に対してなおさら脆弱《ぜいじゃく》になった。中世のフィレンツェと比べると、東京やメキシコシティのような現代の大都市は、病原体にとってははるかに獲物が豊富だし、グローバルな交通ネットワークは今日、一九一八年当時よりもずっと高速化している。ウイルスは、二四時間もかからないでパリから東京やメキシコシティまで行き着ける。したがって私たちは、致死性の疫病が次から次へと発生する感染地獄に身を置くことを覚悟しておくべきだった。ところが実際には、感染症の発生率も影響も劇的に減少した。エイズやエボラ出血熱などの恐ろしい感染爆発はあったものの、二一世紀に感染症で亡くなる人の割合は、石器時代以降のどの時期と比べても小さい。これは、病原体に対して人間が持っている最善の防衛手段が、隔離ではなく情報であるためだ。人類が感染症との闘いに勝ち続けてきたのは、病原体と医師との間の軍拡競争で、病原体がやみくもな変異に頼っているのに対して、医師は情報の科学的分析を拠り所としているからにほかならない。

一四世紀に黒死病が猛威を振るったときには、何が原因で、どんな手が打てるのか、人々は見当もつかなかった。近代以前、人類はたいてい病気を、怒れる神や悪意に満ちた魔物や汚い空気のせいにし、細菌やウイルスが存在するなどとは考えもしなかった。天使や妖精がいると信じていたものの、たった一滴の水に命の略奪者の恐ろしい大軍が潜んでいようとは、想像もできなかった。したがって、黒死病や天然痘が襲ってきたとき、為政者が思いつくことと言えば、大規模な祈禱《きとう》の催しを行ない、さまざまな神や聖人に救いを求めることぐらいのものだった。だが、効き目はなかった。それどころか、大勢の人が集まって祈りを捧げると、集団感染を招くことが多かった。

感染症との闘い

二〇世紀には、世界中の科学者や医師や看護師が情報を共有し、力を合わせることで、病気の流行の背後にあるメカニズムと、大流行に対抗する手段の両方を首尾良く突き止めた。進化論は、新しい病気が発生したり、昔からある病気が毒性を増したりする理由や仕組みを明らかにした。遺伝学のおかげで、現代の科学者たちは病原体自体の「取扱説明書」を調べることができるようになった。中世の人々が、黒死病の原因をついに発見できなかったのに対して、科学者たちはわずか二週間で新型コロナウイルスを見つけ、ゲノムの配列解析を行ない、感染者を確認する、信頼性の高い検査を開発することができた。

感染症の大流行の原因がいったん解明されると、感染症との闘いははるかに楽になった。予防接種や抗生物質、衛生状態の改善、医療インフラの充実などのおかげで、人類は目に見えない襲撃者よりも優位に立った。一九六七年には依然として、一五〇〇万人が天然痘にかかり、そのうち二〇〇万人が亡くなった。だが、その後の一〇年間に天然痘の予防接種が世界中で推進されてこの対抗策は大成功を収め、一九七九年には根絶が確認され、世界保健機関が人類の勝利を宣言した。そして二〇一九年には、天然痘にかかったり、天然痘で命を落としたりした人は、一人としていなかった。

新型コロナウイルス感染症の意味

この歴史は、現在の新型コロナウイルス感染症について、何を教えてくれるのだろうか?

第一に、国境の恒久的な閉鎖によって自国を守るのは不可能であることを、歴史は示している。グローバル化時代のはるか以前の中世においてさえ、感染症は急速に広まったことを思い出してほしい。だから、たとえ国際的なつながりを、イングランドで黒死病の流行が始まった一三四八年の水準まで減らしたとしてもなお、不十分だろう。隔離によって本当に自分を守りたければ、中世にさかのぼってもうまくいかない。完全に石器時代まで戻る必要がある。だが、そんなことが可能だろうか?

第二に、真の安全確保は、信頼のおける科学的情報の共有と、グローバルな団結によって達成されることを、歴史は語っている。感染症の大流行に見舞われた国は、経済の破滅的崩壊を恐れることなく、感染爆発についての情報を包み隠さず進んで開示するべきだ。一方、他の国々はその情報を信頼できてしかるべきだし、その国を排斥したりせず、自発的に救いの手を差し伸べなくてはいけない。現時点で、中国は新型コロナウイルスについて重要な教訓の数々を世界中の国々に伝授できるが、それには高度な国際的信頼と協力が求められる。

国際協力は、効果的な検疫を行なうためにも必要だ。隔離とロックダウン（都市封鎖）は、感染症の拡大に歯止めをかける上で欠かせない。だが、国家間の信頼が乏しく、各国が自力で対処せざるをえないと感じていたら、政府はそのような思い切った対策の実施をためらう。もし国内で新型コロナウイルスの感染者が一〇〇人見つかったら、ただちに都市や地方をまるごと封鎖するだろうか？　それはおおむね、他国に何が期待できるか次第だ。自国の都市を封鎖すれば、経済の崩壊を招きかねない。そのときには他国が援助してくれるだろうと思っていれば、ロックダウンのような大胆な措置も取りやすくなる。だが、他国に見捨てられると考えていれば、おそらく躊躇《ちゅうちょ》し、手遅れになるだろう。

ウイルスの変異という脅威

こうした感染症について人々が認識するべき最も重要な点は、どこであれ一国における感染症の拡大が、全人類を危険にさらすということだ。それは、ウイルスが変化するからだ。コロナのようなウイルスは、コウモリなどの動物に由来する。それが人間に感染すると、当初は、人間という宿《しゅく》主《しゅ》にはうまく適応していない。だが、人間の体内で増殖しているうちに、ときおり変異を起こす。ほとんどの変異は無害だ。だが、たまに変異のせいで感染力が増したり、人間の免疫系への抵抗力が強まったりする。そして、このウイルスの変異株が人間の間で今度は急速に広まる。たった一人の人間でも、何兆ものウイルス粒子を体内に抱えている場合があり、それらが絶えず自己複製するので、感染者の一人ひとりが、人間にもっと適応する何兆回もの新たな機会をウイルスに与えることになる。個々のウイルス保有者は、何兆枚もの宝くじの券をウイルスに提供する発券機のようなもので、ウイルスは繁栄するためには当たりくじを一枚引くだけでいい。

これはただの臆測ではない。リチャード・プレストンは著書『レッドゾーンの危機』で、二〇一四年のエボラ出血熱の感染爆発における、まさにそうした一連の出来事を描き出している。この感染爆発のきっかけは、コウモリから人間へのエボラウイルスの感染だった。感染者は重症になったが、ウイルスは依然として人体よりもコウモリの体内での生息に適応していた。エボラウイルスが比較的稀《まれ》な病気から猛威を振るう感染症に変化したのは、西アフリカのマコナ地区のどこかで、たった一人に感染したあるエボラウイルスの、たった一つの遺伝子の中で起こった、たった一度の変異のせいだった。この変異のおかげで、「マコナ株」と呼ばれるエボラウイルスのこの変異株は、人間の細胞のコレステロール輸送体に結びつくことができるようになった。こうして、この輸送体はコレステロールの代わりにエボラウイルスを細胞内に引き入れ始めた。この新しいマコナ株は、人間への感染性が四倍も高まった。みなさんがこの文章を読んでいる間にも、テヘランかミラノか武漢の誰かに感染した新型コロナウイルスの、たった一つの遺伝子の中で、それに似た変異が起こりつつあるかもしれない。もしそれが本当に起こっているとしたら、それはイラン人やイタリア人や中国人だけではなく、みなさんの命にとっても直接の脅威となる。新型コロナウイルスにそのような機会を与えないことは、全世界の人にとって共通の死活問題なのだ。そしてそれは、あらゆる国のあらゆる人を守る必要があることを意味する。

一九七〇年代に人類が天然痘を打ち負かすことができたのは、すべての国で大半の人が天然痘の予防接種を受けたからだ。たとえ一国でも国民に予防接種を受けさせることを怠っていたら、人類全体を危機に陥れていただろう。天然痘ウイルスがどこかに存在して変異を続けていたら、いつでも、あ、ら、ゆ、る、場、所、に拡がりうるからだ。

ウイルスと人間の境界

ウイルスとの闘いでは、人類は境界を厳重に警備する必要がある。だが、それは国どうしの境界ではない。そうではなくて、人間の世界とウイルスの領域との境界を守る必要があるのだ。地球という惑星には、無数のウイルスがひしめいており、遺伝子変異のせいで、新しいウイルスがひっきりなしに誕生している。このウイルスの領域と人間の世界を隔てている境界線は、ありとあらゆる人間の体内を通っている。もし危険なウイルスが地球上のどこであれ、この境界をどうにかして通り抜けたら、ヒトという種《しゅ》全体が危険にさらされる。

過去一世紀の間、人類はかつてないほどまでこの境界の守りを固めてきた。近代以降の医療制度は、この境界にそびえる壁の役割を果たすべく構築され、看護師や医師や科学者は、そこを巡回して侵入者を撃退する守備隊の務めを担っている。ところが、この境界のあちこちで、かなりの区間が情けないほど無防備のまま放置されてきた。世界には、基本的な医療サービスさえ受けられない人が何億人もいる。このため、私たち全員が危うい状況にある。健康と言えば国家の単位で考えるのが当たり前になっているが、イラン人や中国人により良い医療を提供すれば、イスラエル人やアメリカ人をも感染症から守る役に立つ。この単純な事実は誰にとっても明白であってしかるべきなのだが、不幸なことに、世界でもとりわけ重要な地位を占めている人のうちにさえ、それに思いが至らない者がいる。

必要なのは互いの信頼と団結

今日、人類が深刻な危機に直面しているのは、新型コロナウイルスのせいばかりではなく、人間どうしの信頼の欠如のせいでもある。感染症を打ち負かすためには、人々は科学の専門家を信頼し、国民は公的機関を信頼し、各国は互いを信頼する必要がある。この数年間、無責任な政治家たちか、科学や公的機関や国際協力に対する信頼を、故意に損なってきた。その結果、今や私たちは、協調的でグローバルな対応を奨励し、組織し、資金を出すグローバルな指導者が不在の状態で、今回の危機に直面している。

二〇一四年にエボラ出血熱が大流行したときには、アメリカはその種の指導者の役をこなした。二〇〇八年の金融危機のときにも、グローバルな経済破綻を防ぐために、率先して十分な数の国々を結束させ、同じような役目を果たした。だが近年、アメリカはグローバルなリーダーの役を退いてしまった。現在のアメリカの政権は、世界保健機関（WHO）のような国際機関への支援を削減してきた〔七月にはWHOに脱退を正式に通知した〕。そして、アメリカはもう真の友は持たず、利害関係しか念頭にないことを全世界に非常に明確に示した。そして、新型コロナウイルス危機が勃発したときには傍観を決め込み、これまでのところ指導的役割を引き受けることを控えている。たとえ最終的にリーダーシップを担おうとしても、現在のアメリカの政権に対する信頼がはなはだしく損なわれてしまっているため、進んで追随する国はほとんどないだろう。「自分が第一《ミー・ファースト》」がモットーの指導者に、みなさんは従うだろうか？

アメリカが残した空白は、まだ他の誰にも埋められていない。むしろ、正反対だ。今や外国人嫌悪と孤立主義と不信が、ほとんどの国際システムの特徴となっている。信頼とグローバルな団結抜きでは、新型コロナウイルスの大流行は止められないし、将来、この種の大流行に繰り返し見舞われる可能性が高い。だが、あらゆる危機は好機でもある。目下の大流行が、グローバルな不和によってもたらされた深刻な危機に人類が気づく助けとなることを願いたい。

顕著な例を一つ挙げよう。新型コロナウイルスの大流行は、ＥＵ（欧州連合）が近年失った各国民の支持を再び獲得するまたとない機会になりうる。ＥＵのなかでも比較的恵まれている国々が、大きな被害が出ている国々に、資金や機器や医療従事者を迅速かつ惜しみなく送り込めば、どれだけ多くの演説をもってしても望めないほど効果的に、ヨーロッパの理想の価値を立証できるだろう。逆に、もし各国がそれぞれ自力で対処せざるをえなければ、今の大流行はヨーロッパ統合の終焉を告げる弔いの鐘を鳴らすことになりかねない。

今回の危機の現段階では、決定的な闘いは人類そのものの中で起こる。もしこの感染症の大流行が人間の間の不和と不信を募らせるなら、それはこのウイルスにとって最大の勝利となるだろう。人間どうしが争えば、ウイルスは倍増する。対照的に、もしこの大流行からより緊密な国際協力が生じれば、それは新型コロナウイルスに対する勝利だけではなく、将来現れるあらゆる病原体に対しての勝利ともなることだろう。

コロナ後の世界

——今行なう選択が今後長く続く変化を私たちにもたらす

2020年3月20日「フィナンシャル・タイムズ」紙

人類は今、グローバルな危機に直面している。それはことによると、私たちの世代にとって最大の危機かもしれない。今後数週間に人々や政府が下す決定は、今後何年にもわたって世の中が進む方向を定めるだろう。医療制度だけでなく、経済や政治や文化の行方をも決めることになる。私たちは迅速かつ決然と振る舞わなければならない。だが、自らの行動の長期的な結果も考慮に入れるべきだ。さまざまな選択肢を検討するときには、眼前の脅威をどう克服するかに加えて、嵐が過ぎた後にどのような世界に暮らすことになるかについても、自問する必要がある。そう、この嵐もやがて去り、人類は苦境を乗り切り、ほとんどの人が生き永らえる——だが、私たちは今とは違う世界に身を置くことになるだろう。

今後、多くの短期的な緊急措置が生活の一部になる。緊急事態とはそういうものだ。緊急事態は、歴史のプロセスを早送りする。平時には討議に何年もかかるような決定も、ほんの数時間で下される。未熟なテクノロジーや危険なテクノロジーまでもが実用化される。手をこまぬいているほうが危いからだ。いくつもの国がまるごと、大規模な社会実験のモルモットの役割を果たす。誰もが自宅で勤務し、遠隔でしかコミュニケーションを行なわなくなったら、何が起こるのか？　小学校から大学まで、一斉にオンラインに移行したら、どうなるのか？　平時なら、政府も企業も教育委員会も、そのような実験を行なうことにはけっして同意しないだろう。だが、今は平時ではないのだ。

この危機に臨んで、私たちは二つのとりわけ重要な選択を迫られている。第一の選択は、全体主義的監視か、それとも国民の権利拡大《エンパワーメント》か、というものだ。第二の選択は、ナショナリズムに基づく孤立か、それともグローバルな団結か、というものだ。

新しい監視ツール

感染症の流行を食い止めるためには、各国の全国民が特定の指針に従わなくてはならない。これを達成する主な方法は二つある。一つは、政府が国民を監視し、規則に違反する者を罰するという方法だ。今日、人類の歴史上初めて、テクノロジーを使ってあらゆる人を常時監視することが可能になった。五〇年前なら、ＫＧＢ（旧ソヴィエト連邦の国家保安委員会）は、二億四〇〇〇万のソ連国民を二四時間体制で追い続けることはできなかったし、収集した情報をすべて効果的に処理することなど望むべくもなかった。ＫＧＢは諜報員や分析官を頼みとしていたため、国民の一人ひとりに諜報員を割り当てて追跡することは、とうてい不可能だった。だが、今や各国政府は、生身のスパイの代わりに、至る所に設置されたセンサーと、高性能のアルゴリズムに頼ることができる。

　数か国の政府が、新型コロナウイルス感染症の流行との闘いで、新しい監視ツールをすでに活用している。それが最も顕著なのが中国だ。中国の当局は、国民のスマートフォンを厳重にモニタリングしたり、何億台もの顔認識カメラを使ったり、国民に体温や健康状態の確認と報告を義務づけたりすることで、新型コロナウイルスの感染が疑われる人を素早く突き止められるだけでなく、彼らの動きを継続的に把握して、接触した人を全員特定することもできる。国民は感染者に接近すると、多種多様なモバイルアプリに警告してもらえる。

　この種のテクノロジーが利用可能な国は、東アジアに限られてはいない。イスラエルのベンヤミン・ネタニヤフ首相は最近、通常はもっぱらテロリストとの闘いで使われていた監視技術を、新型コロナウイルス感染症患者の追跡にも使用する権限を、同国の総保安庁に与えた。議会の当該小委員会からこの措置の承認が得られないと、ネタニヤフは「緊急命令」を出してこの方針を押し通した。

重大な分岐点――「皮下」監視

こうした措置には一つとして新しい点はないと主張する向きもあるだろう。近年は、政府も企業も、なおいっそう高度なテクノロジーを使って、人々の追跡・監視・操作を行なっているからだ。とはいえ、油断していると、今回の感染症の大流行は監視の歴史における重大な分岐点となるかもしれない。一般大衆監視ツールの使用をこれまで拒んできた国々でも、そのようなツールの使用が常態化しかねないからだけではなく、こちらのほうがなお重要だが、それが「体外」監視から「皮下」監視への劇的な移行を意味しているからでもある。

これまでは、あなたの指がスマートフォンの画面に触れ、あるリンクをクリックしたとき、政府はあなたの指が何をクリックしているかを正確に知りたがった。ところが、新型コロナウイルスの場合には、関心の対象が変わる。今や政府は、あなたの指の温度や、皮下の血圧を知りたがっているのだ。

監視ということに関して、私たちがどのような立場にあるのかを解明する際には、さまざまな問題に直面する。自分たちがどのように監視されているのか、そして、今後の年月に何が登場するのかを、誰一人正確には知らないというのもその一つだ。監視技術は猛烈な速さで進歩しており、一〇年前にはサイエンスフィクションのように思えたものが、今日では早くも新鮮味を失っている。一つ、思考実験をしてみよう。体温と心拍数を一日二四時間休みなくモニタリングするリストバンド型センサーの着用を、ある政府が全国民に強要したとする。得られたデータは蓄積され、政府のアルゴリズムが解析する。そのアルゴリズムは、あなたが病気であることを、本人が気づきさえしないうちに知るだろうし、あなたがどこに行き、誰と会ったかも把握している。そのおかげで、感染の連鎖を劇的に縮め、完全に断ち切ることさえできるだろう。そのようなシステムがあれば、ほんの数日で感染症の拡大を止められることはほぼ間違いない。素晴らしい話ではないか?

だが、そこには負の面もある。当然ながら、ぞっとするような新しい監視体制に正当性を与えてしまうからだ。たとえば、もし私がCNNではなくFOXニュースへのリンクをクリックしたことをあなたが知ったら、私の政治的な考え方や、ことによると性格についてさえもわかることがあるだろう。ところが、もしFOXニュースのビデオクリップを見ているときの私の体温や血圧や心拍数の変動をモニタリングできたら、私が何によって笑ったり、泣いたり、激怒したりするのかまで知ることができる。

ぜひとも思い出してもらいたいのだが、怒りや喜び、退屈、愛などは、発熱や咳とまったく同じで、生物学的な現象だ。だから、咳を識別するのと同じ技術を使って、笑いも識別できるだろう。企業や政府が揃って生体情報を収集し始めたら、私たちよりもはるかに的確に私たちを知ることができ、そのときには、私たちの感情を予測することだけではなく、その感情を操作し、製品であれ政治家であれ、何でも好きなものを売り込むことも可能になる。大規模な生体情報モニタリングが実施されれば、ケンブリッジ・アナリティカ社によるデータ・ハッキング〔政治コンサルティング会社ケンブリッジ・アナリティカがフェイスブックのユーザーの個人情報を不正に収集・利用した事件〕の手口など、石器時代のもののように見えてくるだろう。全国民がリストバンド型の生体情報センサーの常時着用を義務づけられた二〇三〇年の北朝鮮を想像してほしい。もし誰かが、かの偉大なる国家指導者の演説を聞いているときに、センサーが怒りの明確な徴候を検知したら、その人は一巻の終わりだ。

緊急事態の一時的な措置は後まで続く――プディング令

生体情報の監視を、緊急事態の間に取る一時的措置だとして擁護することもむろんできる。感染症の流行が終息したら、解除すればいい、と。だが、一時的な措置には、緊急事態の後まで続くという悪しき傾向がある。常に何かしら新たな緊急事態が近い将来に待ち受けているから、なおさらだ。たとえば、私の祖国であるイスラエルは、一九四八～四九年の独立戦争（第一次中東戦争）の間に緊急事態宣言を出し、それによって、新聞の検閲や土地の没収からプディング作りに対する特別な規制（これは冗談ではない）まで、じつにさまざまな一時的措置が正当化された。イスラエルは独立戦争に勝利してから久しいが、緊急事態の終息宣言はついにせず、一九四八年の「一時的」措置の多くは、廃止されないままになっている（幸いにも、緊急事態のプディング令は二〇一一年に撤廃された）。

たとえ新型コロナウイルスの感染者数がゼロになっても、データに飢えた政府のなかには、新型コロナウイルスの第二波が懸念されるとか、新種のエボラウイルスが中央アフリカで生まれつつあるとか、何かしら理由をつけて、生体情報の監視体制を継続する必要があると主張する者が出てきかねない。わかっていただけただろうか？　近年、私たちのプライバシーをめぐって激しい闘いが繰り広げられている。新型コロナウイルス危機は、この闘いの転機になるかもしれない。人はプライバシーと健康のどちらを選ぶかと言われたなら、たいてい健康を選ぶからだ。

プライバシーか健康か

だが、プライバシーと健康のどちらを選ぶかを問うことが、じつは問題の根源になっている。なぜなら、選択の設定を誤っているからだ。私たちは、プライバシーと健康の両方を享受できるし、また、享受できてしかるべきなのだ。全体主義的な監視政治体制を打ち立てなくても、国民の権利を拡大することによって自らの健康を守り、新型コロナウイルス感染症の流行に終止符を打つ道を選択できる。過去数週間、この流行を抑え込む上で多大な成果をあげているのが、韓国や台湾やシンガポールだ。これらの国々は、追跡用アプリケーションをある程度使ってはいるものの、広範な検査や、偽りのない報告、十分に情報を提供されている一般大衆の意欲的な協力を、はるかに大きな拠り所としてきた。

有益な指針に人々を従わせる方法は、中央集権化されたモニタリングと厳しい処罰だけではない。国民は、科学的な事実を伝えられているとき、そして公的機関がそうした事実を伝えてくれていると信頼しているとき、ビッグ・ブラザー〔ジョージ・オーウェルの『一九八四年』で、全体主義国家オセアニアを統治する独裁者〕に見張られていなくてもなお、正しい行動を取ることができる。自発的で情報に通じている国民は、厳しい規制を受けている無知な国民よりも、たいてい格段に強力で効果的だ。

「石鹸警察」はなぜ不要か

たとえば、石鹸《せっけん》で手を洗うことを考えてほしい。これは、人間社会の衛生上、屈指の進歩だ。この単純な行為のおかげで、毎年何百万もの命が救われている。石鹸で手を洗うことは、私たちにとっては当たり前だが、その重要性を科学者がようやく認識したのは一九世紀だった。それ以前は、医師や看護師さえもが、手術を一つ終えた後、手を洗わずに次の手術に臨んでいた。今日、何十億もの人が日々手を洗うが、それは、手洗いの怠慢を取り締まる「石鹸警察」を恐れているからではなく、事実を理解しているからだ。私が石鹸で手を洗うのは、ウイルスや細菌について耳にしたことがあり、これらの微小な生物が病気を引き起こすことを理解しており、石鹸を使えばそれを取り除けることを知っているからだ。

科学と公共機関とマスメディアへの「信頼」

だが、手洗いに匹敵する水準の徹底と協力を成し遂げるためには、信頼が必要となる。人々は科学を信頼し、公共機関を信頼し、マスメディアを信頼する必要がある。ここ数年にわたって、無責任な政治家たちが、科学と公共機関とマスメディアに対する信頼を故意に損なってきた。今や、まさにその無責任な政治家たちが、一般大衆はとうてい信頼できず、彼らには適切な行動を取ってもらえるとは思えないと主張し、安易に独裁主義への道を突き進む誘惑に駆られないとはかぎらない。

通常は、長い年月をかけて蝕まれた信頼は、一夜にして再建しえない。だが、今は平時ではない。危機に際しては、人の心はたちまち変化しうる。兄弟姉妹と長年、激しく言い争っていても、いざという時には、人知れずまだ残っていた信頼や親近感が蘇り、互いのもとに駆けつけて助け合うこともありうる。監視政治体制を構築する代わりに、科学と公共機関とマスメディアに対する人々の信頼を復活させる時間はまだ残っている。新しいテクノロジーも絶対に活用するべきだが、それは国民の権利を拡大するテクノロジーでなくてはならない。私は自分の体温と血圧をモニタリングすることには大賛成だとはいえ、そのデータは全能の政府を生み出すために使われることがあってはならない。むしろ、そのデータのおかげで私は、より適切な情報に基づいた個人的選択をしたり、政府に責任を持って決定を下させるようにしたりできてしかるべきなのだ。

もし私が自分の健康状態を一日二四時間追うことができたら、自分が他人の健康にとって危険になってしまったかどうかに加えて、どの習慣が自分の健康に貢献しているかもわかるだろう。そして、新型コロナウイルスの拡散についての信頼できる統計にアクセスしてそれを解析できたなら、政府が本当のことを言っているかどうかや、この感染症との闘いに適切な政策を採用しているかどうかも判断できるだろう。もし監視が話題に上っていたら、同じ監視技術がたいてい、政府が各個人をモニタリングするためだけではなく、各個人が政府をモニタリングするためにも使えることを思い出してほしい。

このように、新型コロナウイルス感染症の大流行は、公民権の有効性の一大試金石なのだ。これからの日々に、私たちの一人ひとりが、根も葉もない陰謀論や利己的な政治家ではなく、科学的データや医療の専門家を信じるという選択をするべきだ。もし私たちが正しい選択をしそこなえば、自分たちの最も貴重な自由を放棄する羽目になりかねない――自らの健康を守るためには、そうするしかないと思い込んで。

グローバルな情報共有

私たちが直面する第二の重要な選択は、ナショナリズムに基づく孤立と、グローバルな団結との間のものだ。感染症の大流行自体も、そこから生じる経済危機も、ともにグローバルな問題だ。そしてそれは、グローバルな協力によってしか、効果的に解決しえない。

このウイルスを打ち負かすために、私たちは何をおいても、グローバルな形で情報を共有する必要がある。情報の共有こそ、ウイルスに対する人間の大きな強みだからだ。中国の新型コロナウイルスとアメリカの新型コロナウイルスは、人間に感染する方法について情報交換することができない。だが、新型コロナウイルスとその対処法に関する教訓を、中国はアメリカに数多く伝授できる。早朝にミラノでイタリアの医師が発見したことのおかげで、夕方までにテヘランで何人もの人の命が救われるかもしれない。イギリス政府は、複数の政策のどれを選ぶべきか迷っているときには、すでに一か月前に同じようなジレンマに直面していた韓国から助言を得られる。だが、こうした情報の共有が実現するためには、グローバルな協力と信頼の精神が必要とされる。

各国は隠し立てせず、進んで情報を提供し、謙虚に助言を求めるべきであり、提供されたデータや見識を信頼できてしかるべきだ。また、医療用品・機器の生産と流通のための、グローバルな取り組みも欠かせない。とくに重要なのが検査キットと人工呼吸器だ。各国がすべて自国内で調達しようとし、手に入るかぎりのものをため込む代わりに、協調してグローバルな取り組みをすれば、生産が著しく加速され、命を救う用品や機器がより公平に分配できる。戦時中に国家が基幹産業を国有化するのとちょうど同じように、新型コロナウイルスに対する人類の戦争では、不可欠の生産ラインを「人道化」する必要があるだろう。新型コロナウイルスによる感染例が少ない豊かな国は、感染者が多発している貧しい国に、貴重な機器や物資を進んで送るべきだ。やがて自国が助けを必要とすることがあったなら、他の国々が救いの手を差し伸べてくれると信じて。

医療と経済と移動のグローバルな合意

医療のための人員を出し合う、同様のグローバルな取り組みも検討していいだろう。現時点であまり影響を受けていない国々は、世界でも最も深刻な打撃を受けている地域に医療従事者を派遣することができる。そうすれば、窮地に立たされた国々を助けると同時に、貴重な経験を得ることも可能だろう。もし、後に派遣国に感染症流行の中心が移ったなら、今度は逆方向に支援が流れてくることになる。

グローバルな協力は、経済面でも絶対に必要だ。経済とサプライチェーンがこれほどグローバル化しているのだから、もし各国政府が他国をいっさい無視して好き勝手に振る舞えば、大混乱が起こって危機は深まるばかりだろう。私たちはグローバルな行動計画を必要としている。それも、ただちに。

それに加えて、移動に関するグローバルな合意に達することも欠かせない。何か月にもわたって国際的な移動を停止すれば、途方もない苦難を招き、新型コロナウイルスに対する闘いを妨げることになる。各国は協力し、せめて絶対に必要な少数の人々、すなわち科学者や医師、ジャーナリスト、政治家、ビジネスパーソンには越境を許し続けなければいけない。移動者が自国による事前検査を受けるというグローバルな合意に至れば、これは達成可能だ。厳重な検査を受けた移動者しか飛行機の搭乗を許されないことがわかっていれば、入国側も受け容れやすくなる。

アメリカという空白

あいにく、現時点ではどの国もこうしたことを一つも実行していない。国際コミュニティは集団麻痺に陥っている。大人の振る舞いを見せる国が見当たらないようだ。もう何週間も前に、世界の指導者たちが緊急会議を開いて、共同の行動計画をまとめていて当然のように思えるのだが。G7の首脳は、ようやく今週になってどうにかテレビ会議を開いたが、そのような計画にはまったくたどり着けなかった。

二〇〇八年の金融危機や二〇一四年のエボラ出血熱の大流行といった、これまでのグローバルな危機では、アメリカがグローバルなリーダーの役割を担った。だが、現在のアメリカの政権は、リーダーの仕事を放棄した。そして、人類の将来よりもアメリカの偉大さのほうをはるかに重視していることを、明確に示してきた。

この政権は、最も親密な盟友たちさえも見捨てた。EUからの入国を完全に禁止したときには、EUに事前通告さえしなかった。この思い切った措置について、EUと協議しなかったことは言うまでもない。そして、伝えられるところによれば、新しいCOVID‐19ワクチンの独占権を買い取るために、あるドイツの製薬会社に一〇億ドルという金額を提示したとのことで、ドイツを呆れ返らせた。現政権が最終的には方針を転換し、グローバルな行動計画を打ち出したとしても、その指導者に従う人は皆無に近いだろう。なにしろその人物は、責任はけっして取らず、誤りは断じて認めず、いつもきまって手柄は独り占めし、失敗の責めはすべて他人に負わせるのだから。

アメリカが残した空白を埋める国が出てこなければ、今回の感染症の大流行に歯止めをかけるのがなおさら難しくなるばかりか、その負の遺産が、今後長い年月にわたって国際関係を毒し続けるだろう。とはいうものの、危機はみな、好機でもある。グローバルな不和がもたらす深刻な危機に人類が気づく上で、現在の大流行が助けになることを、私たちは願わずにはいられない。

人類は選択を迫られている。私たちは不和の道を進むのか、それとも、グローバルな団結の道を選ぶのか？　もし不和を選んだら、今回の危機が長引くばかりでなく、将来おそらく、さらに深刻な大惨事を繰り返し招くことになるだろう。逆に、もしグローバルな団結を選べば、それは新型コロナウイルスに対する勝利となるだけではなく、二一世紀に人類を襲いかねない、未来のあらゆる感染症流行や危機に対する勝利にもなることだろう。

死に対する私たちの態度は変わるか？

——私たちは正しく考えるだろう

2020年4月20日「ザ・ガーディアン」紙

新型コロナウイルスのパンデミックは、死に対する、より伝統的な態度や、死を受け容れる態度へと私たちを立ち返らせるのか、それとも、寿命を延ばそうとする私たちの試みを後押しするのか？

避けようのない運命——死の意味

近代以降の世界を方向づけてきたのは、人間は死を出し抜き、打ち負かせるという信念だ。だがそれは、画期的な態度だった。人間は歴史の大半を通じて、おとなしく死を甘受してきた。近代後期まで、ほとんどの宗教とイデオロギーは、死を避けようのない運命としてきたばかりか、人生における意味の主要な源泉として捉えてきた。人間の存在にとって最も重要な出来事は、本人が息を引き取った後に起こった。人は死んでから初めて、生にまつわる本当の秘密を知るに至った。そしてようやく永遠の救済を得るか、あるいは果てしない断罪に苦しむことになった。死のない——したがって天国も地獄も生まれ変わりもない——世界では、キリスト教やイスラム教やヒンドゥー教のような宗教は、何の意味もなさなかっただろう。歴史の大半を通じて、最高の頭脳の持ち主たちは、死に意味を与えることにせっせと励み、死を打ち負かそうなどとはしなかった。

ギルガメシュ叙事詩やオルフェウスとエウリュディケの神話、聖書、クルアーン、ヴェーダ、その他無数の聖典や物語は、苦悩する人間たちに辛抱強く説いた。私たちが死ぬのは、神、あるいは宇宙、はたまた母なる自然がそう定めたからであり、その運命を謙虚に潔く受け容れなくてはいけない、と。ことによると、いつの日か神は、キリストを再臨させるといった壮大で超自然的な意思表示の行為を通して、死を廃するかもしれない。

だが、そのような大変革を画策することなど、生身の人間の分際ではとうてい望めないのは明らかだった。

死は技術的問題に

ところがそこに、科学革命が起こった。科学者にとって、死は神の定めではなく、たんなる技術的問題にすぎない。人間が死ぬのは神がそう言ったからではなく、何らかの技術的な不具合のせいなのだ。心臓が血液を押し出さなくなったり、癌《がん》が肝臓を冒したり、ウイルスが肺で増殖したりしたためだ。では、こうした技術的問題はみな、何が引き起こすのか？　他の技術的問題だ。心臓が血液を押し出さなくなるのは、心臓の筋肉に十分な酸素が到達しないからだ。肝臓に癌細胞が拡がるのは、偶然の遺伝子変異が起こったからだ。ウイルスが私の肺に入り込んだのは、バスで誰かがくしゃみをしたからだ。超自然的なところは何一つない。

そして、どの技術的問題にも技術的解決策があると科学は信じている。死を克服するためにはキリストの再臨を待つ必要はない。科学者たちが研究室でそれをやってのけられる。伝統的には、死は黒い衣をまとった聖職者や神学者の得意分野だったが、今では白衣を着た研究者が彼らに取って代わった。心臓の鼓動が乱れたら、ペースメーカーで刺激を与えられるし、新しい心臓を移植することさえ可能だ。癌が暴れたら、放射線で殺すことができる。ウイルスが肺で急増したら、何か新しい薬で抑え込める。

たしかに現時点では、技術的問題をすべて解決できるわけではない。だが、取り組みは続いている。最高の頭脳の持ち主たちは、もう、死に意味を与えようとして時間を費やすことはない。代わりに、彼らは寿命を延ばすための研究に余念がない。疾患や老化を招く微生物学的・生理学的・遺伝学的システムを詳しく調べ、新薬や革命的な治療法を開発している。

延びる寿命は死後の世界への関心を失わせた

人間は、寿命を延ばすこの取り組みで、目覚ましい成果をあげてきた。平均寿命は過去二〇〇年間に、全世界では四〇年未満から七二年へ、一部の先進国では八〇年超へと跳ね上がった。とくに、子供たちは死神の魔手から首尾良く逃れた。二〇世紀までは、子供の少なくとも三分の一が成人する前に亡くなっていた。赤痢《せきり》や麻疹《ましん》や天然痘といった疾患で、彼らは日常的に倒れていた。一七世紀のイングランドでは、新生児一〇〇〇人当たり約一五〇人が最初の一年で亡くなり、一五歳まで生き延びられるのはわずか七〇〇人ほどだった。今日、誕生後一年以内に亡くなるイギリスの赤ん坊は一〇〇〇人当たりたった五人で、九九三人が一五歳の誕生日を祝うことができる。世界全体では、乳幼児死亡率は五％を下回るまでになっている。

人間は命を守って寿命を延ばす試みで大成功を収めてきたので、私たちの世界観は根底から変わった。伝統的な宗教が死後の世界こそ意味の主な源泉であると考えていたのに対して、一八世紀以降は、自由主義や社会主義やフェミニズムのようなイデオロギーは、死後の世界への関心をすべて失った。共産主義者は死んだらいったいどうなるのか？　資本主義者はどうなるのか？　フェミニストはどうなるのか？　カール・マルクスやアダム・スミスやシモーヌ・ド・ボーヴォワールの著作の中に答えを探しても無駄だ。

ただし、相変わらず死に対して中心的役割を与えている現代のイデオロギーが一つだけある。ナショナリズムだ。ナショナリズムは情に訴えるときや切羽詰まってきたときには、国のために命を捧げる者は誰でも国民の集合的記憶の中で永遠に生き続けることを約束する。とはいえこの約束はあまりに曖昧なので、ナショナリストでさえその大半が、それをどう捉えればいいのかよくわからない。いったいどうやって記憶の中で「生きる」のか？　もし死んでしまったら、人々が自分のことを覚えていてくれるかどうか、どうして知ることができるだろう？　かつてウディ・アレンは、映画ファンの記憶の中で永遠に生き続けることを望んでいるかどうか訊かれた。するとアレンは、こう答えた。「私はむしろ、自分のアパートで生きていたい」と。伝統的な宗教でさえも、その多くが焦点を切り替えた。死んだら天国に行かれると約束する代わりに、現世で信者に対してやれることをはるかに重視するようになったのだ。

死に対する人間の態度

今回のパンデミックで、死に対する人間の態度は変わるだろうか？　おそらく、変わらない。まったくその逆だ。ＣＯＶＩＤ－19のせいで、私たちは人命を守ろうと、なおさら努力するようになる可能性が高い。なぜなら、COVID-19に対して社会が見せる反応として最も目立つのは、諦めではなく、憤慨と期待が入り交じったものだからだ。

中世ヨーロッパのような近代以前の社会で感染症が勃発したときには、人々はもちろん命の危険を感じ、愛する人の死に打ちのめされたが、主な反応は諦めだった。心理学者ならそれを「学習性無力感」と呼ぶかもしれない。人々は、これは神の思し召しだ、あるいは、人類の罪に対する天罰だとでも自分に言い聞かせた。「神はすべて心得ていらっしゃる。私たち邪《よこしま》な人間には、これが当然の報いなのだ。だから、いずれわかるだろうが、結局は万事最善の結果となる。心配することはない。善良な人々は天国で報われる。それに、薬を探し求めて時間を浪費してはならない。この病は、神が私たちを罰するために見舞われたものなのだ。この伝染を人間が自らの工夫で乗り越えられると考える者は、他の罪にさらに傲慢《ごうまん》の罪を重ねているにすぎない。神の計画を妨げようとは、身の程知らずもはなははだしい」。

神の罰ではなくワクチンを

今日の受け止め方は正反対だ。列車事故や高層ビルの火災、さらにはハリケーンといった何かの大惨事で大勢の人が亡くなるたびに、私たちはそれを、天罰や避けようのない自然災害ではなく、防ぎえた人災と見る傾向がある。もし鉄道会社が安全対策用の予算を惜しまなければ、また、もし市当局がもっと適切な防火規制を導入していれば、そして、政府がもっと早く救いの手を差し伸べていれば、これらの人は命を落とさずに済んだかもしれないというわけだ。二一世紀には、大量死が発生すれば、当然のこととして訴訟と取り調べが後に続くようになった。

疫病に対しても、私たちは同じ態度を取る。エイズ禍が起こった途端、同性愛者に対する神の罰だとする宗教家もいたが、幸いにも現代社会はそのような見方を狂気の過激思想として斬り捨てたし、昨今ではたいてい、エイズやエボラ出血熱などの近年の感染症の流行を、何らかの組織の失態と考える。そのような疫病を抑え込む知識と手段が人類にはあり、それでも感染症が手に負えなくなるようであれば、私たちはそれを、神の怒りではなく人間の無能のせいと見なす。COVID-19も例外ではない。現在の危機は終息には程遠いが、責任のなすり合いはすでに始まっている。さまざまな国の間で非難の応酬が見られる。政治家は、安全ピンを抜いた手《しゅ》榴弾《りゅうだん》さながら、責任をライバルに放り投げている。

憤慨と並んで、途方もなく大きな期待も見られる。現代のヒーローは、死者を埋葬して惨事の言い訳をする聖職者ではなく、命を救ってくれる医療従事者であり、スーパーヒーローは研究室の科学者だ。映画ファンなら知ってのとおり、スパイダーマンやワンダーウーマンが最後には悪者たちを打ち負かし、世界を救ってくれるのとちょうど同じように、数か月のうちに、いや、一年かかるかもしれないが、研究室の面々がCOVID-19の効果的な治療法ばかりかワクチンさえも生み出してくれると、私たちは信じて疑わない。彼らが成功した暁には、この忌々《いまいま》しい新型コロナウイルスに、この地球上で誰が最強の生き物かを思い知らせてやる！　ホワイトハウスからウォール街、さらにははるか彼方のイタリアのバルコニーに至るまで、あらゆる場所で誰もが口にしている疑問は、「いつワクチンができ上がるのか？」だ。いつできるのかであって、できるかどうかではない。

人命を守るためにさらに力を

ワクチンが現に使えるようになり、このパンデミックが終息したときに、人類が引き出すことになる最大の教訓は何だろうか？　それは、以下のようなものであることに、ほぼ間違いない。人命を守るためになおさら力を注ぐ必要がある。私たちはもっと多くの病院と医師と看護師を必要としている。もっと多くの人工呼吸器や防護服や検査キットの備蓄が欠かせない。未知の病原体を研究し、斬新な治療法を開発するために、もっと多くの資金を投入するべきだ。二度と不意を衝かれることがあってはならない、というわけだ。

これは誤った教訓だ、今回の危機からは謙虚さを学ぶべきだ、と主張する人がいるかもしれない。人間の能力を過信して、自然の力を制圧できるなどと思い上がってはいけない、と。いつも否定的な見方をするこれらの人の多くは、今なお中世の考え方にしがみついており、謙遜を説きながら、自分たちは正しい答えのいっさいを知っていると、絶対の自信を持っている。偏狭な人間のなかには、抑えが利かなくなっている者もいる。たとえば、ドナルド・トランプの閣僚たちのために毎週聖書の勉強会を行なっている牧師は、新型コロナウイルス感染症も同性愛に対する神の罰であると主張した。だが今日では、伝統宗教の権化のような組織や国の大半でさえもが、聖典よりも科学に信頼を置く。カトリック教会は、信徒たちに教会に来ないように指示している。イスラエルは、国内のユダヤ教の会堂を閉鎖した。イラン・イスラム共和国は、国民にモスクを訪れないよう呼びかけている。ありとあらゆる種類の寺院や教派が、公の儀式を中止している。そして、これはすべて、科学者たちが予測を行ない、こうした聖なる場所の閉鎖を推奨したからにほかならない。

いずれは死すべき存在

当然ながら、人間の傲慢さについて警鐘を鳴らす人がすべて、中世のもののような信仰に戻ることを夢見ているわけではない。私たちは現実的な期待を抱くべきであり、人生におけるどんな災難からも医師の力で守ってもらえるなどと根拠のない思い込みをしてはならないことには、科学者たちでさえ同意するだろう。人類は、全体としては、かつてないほど強力になるだろうが、個々の人間は自らの脆弱《ぜいじゃく》さに向き合う必要があることに変わりはない。一、二世紀のうちに科学のおかげで人間の寿命が無期限に延びないともかぎらないが、それはまだ先のことだ。一握りの億万長者の赤ん坊は例外かもしれないが、今生きている人は全員、いずれ死ぬし、誰もが愛する人を失う。私たちは、自らが束の間の存在であることを認めざるをえない。

人は何世紀にもわたって宗教にすがり、死後も永遠に存在し続けると信じて不安を和らげてきた。今では精神の安定を保つために宗教の代わりに科学を頼り、医師がいつでも救ってくれる、自分のアパートで永遠に生き続けられると信じて不安を軽減しようとすることがある。だが、現在必要とされているのは、バランスの取れたアプローチだ。私たちは、感染症に対処するにあたっては科学を信頼するべきだが、自分は一時的な存在であり、必ず死ぬという事実に取り組む責務も、依然として担わなくてはならない。

実際、目下の危機のおかげで、人間の命や業績が儚《はかな》いものであるという自覚を深める人は多いかもしれない。それでもなお、全体として見れば、現代文明がその逆方向に進むことはほぼ確実だ。脆弱さを思い知らされた現代文明は、いっそう守りを固めるという反応を示すだろう。今回の危機が過ぎ去ったとき、大学の哲学科の予算が目立って増えるとは思えない。だが、メディカルスクールや医療制度の予算はきっと大幅に増えるだろう。

生の意義を考えるのは私たち一人ひとり

そして、それが神ならぬ人間に望みうる最善の展開なのかもしれない。いずれにしても、政府は哲学があまり得意ではない。哲学は政府の任務の埒外《らちがい》だ。したがって、政府はなんとしても、より良い医療制度を構築することに専念するべきだ。そして、生の意義についてもっと考えるのは、私たち一人ひとりの仕事となる。医師は私たちのために、人間の存在にまつわる哲学的な謎を解き明かすことはできない。だが彼らは、私たちがそれに取り組むための時間を、あと少しばかり稼ぐことはできる。その時間で何をするかは、私たち次第なのだ。

緊急インタビュー「パンデミックが変える世界」

インタビュアー　道傳愛子　ＮＨＫ　Ｅテレ
２０２０年４月25日放送

発展途上国とウイルスの変異

——今日のインタビューは、日本の首相による緊急事態宣言の日とちょうど重なりました。今回のパンデミックの重大性を、どうお考えですか？

まだ、最悪の局面には至っていないと思います。今後、非常に危険な展開が二つ予想されます。

第一は、パンデミックがアフリカや東南アジアや南米の発展途上国に襲いかかったときです。これらの国々は、この感染症と、それがもたらす経済的な衝撃に対処するだけの医療制度も経済的な余裕もありません。したがって、非常に危険です。これら発展途上国の問題に対しては、グローバルな行動計画が必要です。なぜなら、日本やアメリカやドイツのような国は持ちこたえるでしょうが、エクアドルやバングラデシュやインドネシアのような国は、援助が得られなければ、完全に壊滅状態になりかねません。そして、もしそうなったら当然、全世界を揺るがせることでしょう。

第二の大きな危険は、新型コロナウイルスの変異です。これはけっして忘れてはなりません。ウイルスが広まり、長い時間、人々の間にとどまれば、その分だけウイルスが変異する可能性が増えます。その結果、ウイルスは感染性が強まったり、致死性が高まったりするでしょう。

私たちは常にこの二つを念頭に置いておかなくてはいけません。そして、すべての人を守ることが、誰にとっても重要なのはそのためです。たとえば、イランでウイルスが変異すれば、より致死性の高いウイルスが世界中に拡散しかねません。

これまでの感染症でも、そのようなことが起こっています。一つだけ例を挙げましょう。一九一八年から翌一九年にかけて、世界中でインフルエンザ（スペイン風邪）が流行しました。実際には、このパンデミックには第一波に加えて、第二波と第三波がありました。第一波は一九一八年の春に起こり、全世界で何百万もの人が感染しましたが、致死性はあまり高くなく、亡くなる人もそれほど多くなく、流行は下火になりました。ところがその後、ウイルスが変異し、強力で非常に感染性が強く、致死性もはるかに高いものに変わり、秋に第二波が起こりました。このウイルスが大勢の命を奪ったのです。

もちろん、今回の新型コロナウイルスは、インフルエンザほど変異しません。ですから、危険性はいくぶん低いのですが、危険であることに変わりはなく、それを認識しておく必要があります。

歴史の決定的な瞬間

――私たちは歴史の中で決定的な瞬間にいるのでしょうか？　新型コロナウイルスのせいで、私たちが暮らす世界が一変するような時点にいるのでしょうか？　医療や公衆衛生の分野に限らず、政治や経済や文化を含めたもっと広い範囲で世の中が変わる時点、要するに、生き方そのものががらっと変わる転換点に来ているのでしょうか？

まさにそのとおりです。私たちは、歴史が加速する時期に差しかかっています。今後二、三か月の間に、途方もない規模の社会的・政治的実験が行なわれ、それが世界を根底から変えるでしょう。

一つ、単純な例を挙げましょう。私の大学では過去二〇年にわたり、一部の講座のオンライン化を検討してきましたが、何一つ実現しませんでした。ありとあらゆる種類の問題や異議が出てきて、もしこうなったらどうする、ああなったらどうする、と言い合うばかりで、少しも前へ進めませんでした。それが今回、わずか一週間で大学の全講座をオンラインに移行させました。一週間で、全部の講座がオンライン化されたのです。そして、私たちはこの実験からじつに多くを学びました。

この危機が過ぎ去っても、私たちはあっさり以前の状態に戻ったりはしません。

進歩するものもあるでしょう。今や新しいツールがあふれるほどありますから。その一方で、危険もあります。たとえば、雇用に関しては大きな危険があります。大学は、もうオンライン講座を開けるのだから、地元の教授陣に莫大な給料や手当や年金などを支払う代わりに、社会保障もすることなく、その一〇分の一の費用でインドで誰かを雇えばいいという判断を下すかもしれません。そのほうが、ずっと安上がりです。このような危険があるのです。

さらに、たとえば雇用市場の変化もあります。新型コロナウイルス危機は組織労働者をさらに弱体化させるでしょう。いわゆる「ギグ・エコノミー」〔インターネットを通じて単発の仕事の受発注をするシステムや、それで成り立つ経済の形態〕で働く人がますます増えるでしょうが、彼らは何の保障も受けられず、組合もありません。あるいは、正反対の方向に向かうかもしれません。

メディアや一般の人々に言いたいのは、感染症そのものだけに注目しないでほしいということです。「今日、何人感染したか」「病院には人工呼吸器が何台あるか」――こういったことは重要ですが、政治情勢にも注意を払ってほしいと思います。なぜなら、政治家たちは今、何十億、何兆ドルものお金を給付金などに注ぎ込むとともに、非常に重要な決定を下しているからです。

このパンデミックが終息した後、新たな秩序が確立したときには、今下されている決定を変更するのは非常に困難でしょう。あなたがたとえば二〇二一年に首相に選ばれたとしたら、それはパーティが終わった後に会場にやって来るようなもので、残っていることと言えば、汚れた食器を洗うことぐらいのものです。

ですから政治家たちは今、絶好の機会を迎えています。経済や教育システムや国際関係のルールブックをすっかり書き直すことができるのですから。ただし、この機会は束の間のものです。そして、選択肢はじつにたくさんあります。私たちが正しい選択をすることを願ってやみません。

独裁か民主主義か

——新型コロナウイルスと権力について考えてみると、このような緊急事態に際して、各国政府は前例のないほど絶大な権力を握ることが可能です。これは、いったい何を意味するのでしょうか？

これは危険極まりありません。ご承知のように、民主主義国家は平時には崩壊しません。非常時に崩壊するのです。ところが、非常時にこそ民主主義が最も必要とされます。先程述べたように、各国政府は今、何十億、何兆もの巨額のドルや円を投入しているので、民主的な監視が必要です。さもなければ、たった一人の権力者が、友人や支持者の会社を救済することにして、それ以外の会社は倒産するに任せるでしょう。

緊急対策が必要なことは確かですが、それでも非常時にあってさえ抑制と均衡が欠かせません。さらに国民が政府を監視して、政府があらゆる人の利益にかなう形で振る舞うようにさせなければいけません。権力とつながっている人だけが得をすることがあってはならないのです。

——そのとおりです。しかし、非常時には国民は混乱よりも安定を重視する傾向があるのでは？　国民は、過酷な措置さえ支持するものです。

それこそが非常時に伴う危険です。そして、今は二重の非常時です。人々は感染症そのもののせいで、命を脅かされています。そのうえ、経済面の大きな不安もあります。多くの人が失業し、企業が倒産しています。観光業のように、まるごと崩壊の危機に瀕している業界もあります。大勢の人が、きわめて大きな恐れを抱いているため、どうしても、誰か賢くて力があり、父親のように頼りになる人物に、権力を掌握してもらいたがっています。万事を決めてもらいたい、何もかも面倒を見てもらいたいと願いたがるものです。

繰り返しますが、これは非常に危険です。それほど強大な力を一人の人物に与えたら、そしてその人物が間違いを犯したら、取り返しのつかない事態を招きます。独裁者は大きな問題を孕《はら》んでいるのです。たしかに独裁は効率的です。独裁者は迅速に動けます。誰とも相談する必要がないからです。ところが彼らは間違いを犯すと、それを認めることはまずありません。隠します。メディアを支配下に置いていますから、隠蔽するのは簡単です。

そして、その独裁者は別の手段を試すことなく、ひたすら同じ間違いを重ね、誰か他の人に責任を転嫁します。そうしておいて、さらに多くの権力を要求します。こうして、過ちがますます膨れ上がります。

一方、民主主義では、政府は間違いを犯したときに、自らを修正できます。そこが肝心です。民主主義のほうが進んでそうします。あるいは、もし修正するのを渋れば、政府を抑制する力が他に存在しているので、別の行動を試すように強制できます。

民主主義国家による大規模な監視社会

――監視技術はとても高度になってきました。中国、韓国、台湾、シンガポールなどの国は、ＡＩ（人工知能）によって可能になったデジタル機器を含む、強力な監視システムを導入しているようです。その結果、シュタージ〔旧東ドイツの国家保安省で秘密警察機関〕やＫＧＢ〔旧ソ連の国家保安委員会で諜報機関〕は時代後れになる一方で、このようにテクノロジーが高度になると、監視の方法も変わってくるのでしょうか？

歴史的視点から広く見渡してみると、新型コロナウイルス感染症の流行は、監視の歴史における重大な転換点、大きな変化の時になる可能性があります。

それには二つの理由があります。第一に、今や大規模な監視システムが、独裁国家ばかりではなく民主主義国家によっても採用されうるからです。これまではこの種の大がかりな国民の監視に全面的に反対してきた多くの民主主義国家が、今やそのようなシステムを採用しつつあります。しかも、国民もそれを認めているのです。

そして、緊急事態が去った後も、こうしたシステムは消えてなくなりそうにありません。きっと継続することでしょう。導入するのは簡単ですが、廃止するのはとても難しいのです。なぜなら、新型コロナウイルスの感染者がゼロになっても、常に新たな緊急事態が待ち構えているからです。新型コロナウイルスの第二波が襲ってくるかもしれないし、エボラ出血熱が拡がるかもしれません。あるいは、インフルエンザのようなありふれた病気によってさえも、毎年何十万もの人が亡くなっているのが現状です。

したがって人々は、「せっかく監視のシステムがあるのだから、このまま使い続けて、インフルエンザや麻疹などの病気からも国民を守ればいいではないか」と言うでしょう。これが大きな変化の一つ目で、民主主義国家に訪れているものです。

第二の大きな変化は、監視の性質にかかわるものです。これまで政府と企業は、主に皮膚の外側で起こっていることをモニタリングしてきました。たとえば、私がどこに行くか、何を読むか、誰と会うかといったことです。それが今、政府や企業は、皮膚の内側で起こっていることに、より大きな関心を向けています。私の皮膚の内側の状態、たとえば体温や血圧などを知るために、彼らは私の体の内部へ入り込もうとしているのです。

何が危険かと言えば、それは、私たちの体の中で起こっていることについて、ますます多くの情報を収集するための新しい巨大な監視システムが導入されようとしている点です。もしそのようなシステムが使われだしたら、私たちについて、政府や企業に十分な情報が渡り、私たち自身よりも、私たちをよく知ることが可能になってしまいます。もしあなたが、私の体内で起こっていることをモニタリングできたら、私の感情や情動を知ることができます。何もかも、知ることができるのです。

現時点では、私がオンラインでどんな記事を読んでいるかを知ることができます。何をクリックするかモニタリングすれば済むことです。ところが、私がそれらの記事にどう反応するかは知りえません。私は怒っているのか、賛成しているのか、それとも反対しているのか。

しかし、私が記事を読んでいるとき、あるいはテレビで何かを観ているときに、生体情報の監視を行なえば、つまり、私の血圧や体温や心拍数をモニタリングすれば、私がどう感じているかを知ることができます。怒りや喜びや恐れといった感情は、生物学的現象です――病気とまったく同じ現象なのです。

あなたがテレビを観ているときに体の中で起こっていることを、誰かがモニタリングしているところを想像してみてください。彼らは、テレビで観たことの一つひとつに対するあなたの情動的な反応を知ることができます。これは、あのジョージ・オーウェルでさえ想像していなかった種類の全体主義です。そして、そんな全体主義がすぐ目前に迫っているかもしれないのです。

一〇年後、北朝鮮の全国民が一日二四時間、生体情報収集用のブレスレットの着用を義務づけられたところを想像してみてください。「偉大な指導者」の演説を聞いているときに怒りを覚えたら、たちまち知られてしまいます。顔には笑みを浮かべ、拍手をすることはできても、体の中で起こっていることは、いっさいコントロールできないからです。これはなんとも恐ろしいことです。

生体情報収集用のブレスレット

――まるでサイエンスフィクションに使えそうなアイデアのようにも聞こえますが、これは本当に現実に起こりうることで、しかも、そう遠くない将来の話だというのですね?

必要なテクノロジーは、すでに存在しています。そして今や、それを進んで使おうという意欲も見られます。つい先日に読んだのですが、彼らは国民の動きを追跡したがっています。ロックダウン（都市封鎖）と隔離からの出口戦略が、大規模な監視を拠り所にするだろうということは明らかです。

現在、ロックダウンを実施している国はじつに多くあり、国民が仕事に戻ったり、レストランやビーチを再び訪れたりする許可を与えることができる時の到来を待ち構えています。しかしおそらく、それを実現させる方法は、生体情報の監視という形を取るでしょう。そうすれば、誰かが感染したら、ただちに知ることができます。その人が誰と接触したかを知ることができます。そして、感染の連鎖をいち早く断ち切れるのです。これが生体情報の監視で、サイエンスフィクションではありません。

誰もがスマートフォンを持っているわけではない国では、どのようにすれば全国民を追跡できるのでしょうか？　スマートフォンを持っていない人には、外出するときに、指輪かブレスレットの着用を義務づけるという方法があります。生体情報を収集する指輪やブレスレットをつけていないかぎり家から外に出られないようにし、そうすることによって、出かけた場所や体温をモニターするのです。これはサイエンスフィクションではなく、現に存在しているテクノロジーです。そして今、そのテクノロジーを利用する動機もあるのです。

——では、もう少し掘り下げたいと思います。そうしたテクノロジー、あるいは生体の監視を通して手に入れた情報が、人々を操作するために、ケンブリッジ・アナリティカ社のような会社に悪用されると想像しても、けっして荒唐無稽な話ではないのですね?

まさにそのとおりです。今後起こりうることに比べたら、ケンブリッジ・アナリティカ社が二〇一六年に起こした事件は、石器時代の出来事のように見えることでしょう。なぜなら、同社の場合でも、人々がフェイスブックのアカウントに何を書いたか、どんな記事をオンラインで読んだか、誰があなたの友達なのかを、ただモニタリングしただけだからです。これはみな、皮膚の外側のことです。

しかし、もし彼らが、私の体の中で起こっていることや私がどう感じているかを、一日二四時間モニタリングできるとしたら、どのようなことが可能か、どのような操作ができるかを、想像してみてください。人はしばしば、本音を隠して心にもないことを口にします。

たとえば、今イギリスでボリス・ジョンソン首相が入院しているというニュースが伝わってきたばかりで、政治家たちは口を揃えて「本当に、お気の毒に」とか、「お大事にしてほしい」などと言います。たとえ首相の政策には反対の立場であっても、政治家がこのような危機に際して連帯感を示すのは、適切なことです。しかし、生体情報を集めるブレスレットを、ライバルの労働党の政治家につけさせておけば、どうなるでしょう？　じつはその政治家は、ボリス・ジョンソンの入院を大喜びしていることがわかるかもしれません。

考えてみればひどい話で、そんなことは認めるべきではありません。しかし、本人にはどうしようもないことです。自分がどう感じるかは、コントロールできないからです。それでも、この種の情報が入手できるところを想像してみると、ぞっとします。

治安機関と医療機関

――さて、イスラエルに目を向けてみましょう。イスラエルは治安機関に監視技術の使用の権限を与えたと聞きました。通常なら、テロとの闘いに使用を限定しているテクノロジーです。これは、どれほど憂慮するべきことなのでしょうか？

非常に憂慮するべきことです。その役割を担っているのが治安機関だから、なおさらです。国民の健康状態や感染症に関する情報を収集する権限を、治安機関に与えるべきではありません。理想としては、独立した疫学専門機関がその権限を持つべきです。さまざまな国が協力して、疫学と、それに関連した情報の収集に特化した新しい機関、新しい組織を設立する必要があるのかもしれません。この種の機関が収集した情報には、たとえば警察のような組織はアクセスできないようにするのです。

そうすれば、その情報は、独裁政権を樹立するためには使えません。それに、そのような機関なら、人々もおおいに信頼するでしょう。私は、もし自分のデータが保健機関によって健康のためだけに収集されるのだとわかっていたら、はるかに積極的に喜んで協力します。秘密警察が情報収集を行なっているときとは違います。

世界の多くの国には、政府をひどく恐れている宗教的少数派や少数民族がいます。たとえば、イスラエルではパレスティナ人です。感染症に対処するには、国民の一〇〇%の協力が必要です。五〇%でもなく、七〇%でもなく、全員の協力です。ところが、イスラエルのパレスティナ人は、治安機関が管理している監視システムにはけっして協力しないでしょう。治安機関を信頼していないからで、彼らが治安機関を恐れるのにはもっともな理由があります。しかし、もしそのシステムを管理しているのが独立した医療機関であれば、進んで協力するでしょう。

したがって、これが念頭に置いておくべき指針の一つになると思います。

独り歩きをする緊急措置

——規則や規制が緊急事態の後までしぶとく残り続けることについて、「プディング令」の例がソーシャルメディアで盛んに話題に上っていました。「プディング令」とは何でしょうか？

戦争開始直後の経済危機のときのことです（「戦争」とは、一九四八〜四九年のイスラエルの独立戦争。第一次中東戦争）。政府は食料の供給に関して、ありとあらゆる種類の緊急命令を発しました。そのなかには、贅沢品《ぜいたく》と考えられていたアイスクリームやプディングについてのものもありました。いつならプディングを食べていいいか、いつなら振る舞っていいかというように、プディングにも緊急命令が出されたのです。

ところが、この命令が廃止されたのはようやく二〇一一年になってからでした。まったく、馬鹿げた話です。そして、緊急事態そのものも解除されていません。一九四八年以来のじつに多くの緊急命令が依然として法律上有効であり、今日もイスラエル社会を方向づけています。

プディングに関する緊急命令は、二〇一一年に廃止されました。ですから、滑稽な例として挙げたのです。私たちは、緊急事態のときに何かをして、それはこの危機の間だけの措置だ、危機が過ぎれば、前と同じ普通の状態に戻れると思うものですが、それは幻想にすぎません。緊急事態や緊急措置は独り歩きを始めがちで、当初の状況が変化してから長い時間が経っても、継続する傾向にあります。

したがって、今回もそうしたことが起こる可能性が高いのです。たとえば今、新型コロナウイルスと闘うために導入に合意した監視システムは、この危機が終わっても消えはしないでしょう。その後も残って、独り歩きを始めるかもしれません。

私たちは、緊急事態の間に国家の指導者たちが手に入れた権限に、細心の注意を払うべきです。緊急命令は必要です。強力で迅速な行動も必要です。しかし、民主的でバランスの取れた形で行なわれるべきであり、誰であれ特定の一個人にあまりに大きな権力を与えてはなりません。

透明で双方向の情報

——人類と新型コロナウイルス、そして人々に力を与える「エンパワーメント」の話に進みましょう。それでも、パンデミックを抑え込む上で、強力な監視は適切であることが実証された、と言う人がいます。しかし、あなたは人々のエンパワーメントのほうが重要だとしています。

私はなにも監視に反対しているわけではありません。感染症の拡がりを追い、食い止めるために新しいテクノロジーを利用することには、間違いなく賛成です。とはいえ、基本的には、監視は政府だけではなく国民にも二つの形で力を与えるべきです。

まず、私の身体の状態や、他の人々の身体の状態について収集されたデータは、政府がため込んで密かに保管するべきではありません。そうではなく、そのデータは私が知っていて当然なのです。自分の健康に関してより良い決定を下せるように、私はそのデータへアクセスできてしかるべきです。そうすれば、政府が採用している政策が本当に成果をあげているのかどうかを、自分で検証することもできます。

イランのような独裁的な国では、死者の数や感染の拡大の状況などについて、政府が信頼できるデータを公表しているかどうかさえ国民は知りません。したがって、データは透明で、データの流れは双方向のものであるべきです。そして、これこそが人々のエンパワーメントです。もしこの種の情報にアクセスできれば、国民はもっと大きな力を持てます。十分な情報を持った自発的な国民は、治安機関に管理された無知な国民よりも、はるかに有能です。緊急事態に対処するときにさえ、より効果的に能力を発揮します。

どんな情報とどんな科学者を信じるべきか

――人々や国民に力を与えることによって、市民権が試されることになるとお考えですが、市民自身には何が求められるのでしょう？　彼らは力を与えられるのを、ただ待っているわけにはいかないはずです。

今のような時には、国民にはさまざまな責任があります。一つは、情報と行動にかかわるもので、どんな情報を信じるか、用心に用心を重ね、科学の確かさを信頼し、科学的裏付けのある指針を実行に移すことです。

もし、国民が科学的な指針に従えば、緊急時の独裁的な措置を講じる必要性が大幅に減るので、これはとても重要です。自らしっかり学んで、何が起こっているのか、誰を信じるべきなのかを知り、大学の研究者であれ、保健省の職員であれ、評価の高い科学の専門家が示す指針に厳密に従うことが、私たち一人ひとりの務めです。そして、あらゆる種類の陰謀論に騙《だま》されてはなりません。

気候変動のような現象について科学者に警告されたときに私たちが抱くのと同じ類の信頼感を、今回も抱けることを願っています。今、疫学者が病気について私たちに語ることを真剣に受け止めるべきです。気候学者が地球温暖化について警告しているときと同じぐらい、彼らを信頼しなければなりません。

協力と情報共有

——このパンデミックに直面して、もしこのパンデミックがグローバル化によって引き起こされたものだったとしたら、脱グローバル化が鍵を握っているはずだと言う人がいます。あなたは明らかにこの意見に反対ですね？

パンデミックはグローバル化の時代よりもはるか昔から起こっています。中世には、飛行機もなければ大型のクルーズ船もありませんでした。それにもかかわらず、黒死病のような、格段に深刻なパンデミックが発生しました。もし人間どうしの接触を断つことによってパンデミックを防げると考えているのなら、じつは歴史の中で感染症がなかった遠い石器時代まで遡らなければなりません。当時、人間は小さな狩猟採集社会で暮らし、常に移動していたし、村も都市もありませんでした。その頃なら、パンデミックはありませんでした。しかし、その時代に戻ることができないのは明らかです。

要するに、パンデミックに対する現実的な対策は、遮断ではなく、協力と情報共有です。新型コロナウイルスに対する私たちの最大の強みは、ウイルスにはできない形で協力できることです。中国のウイルスは、アメリカのウイルスに、どのように人間に感染するかや、どのように人間の免疫系を避けるかについて、情報を提供することはできません。しかし、中国の医師は、アメリカの医師に助言することができます。中国の政府は、アメリカの政府を助けることができます。両者は、ウイルスに対してどのようなグローバルな闘いを展開するかについて、共通の計画を立案することができます。

これはウイルスに対する人間の最大の強みです。もしこの強みを活かさなければ、現在の危機は格段に深刻なものになるでしょう。前にも述べたとおり、世界のどこの国で感染症が広まっても、全人類が危険にさらされてしまうことを、人々は認識するべきです。

したがって、今、たしかに隔離したり、国境を封鎖したり、人々の移動を制限したりする必要がありますが、そのためでさえ、協力と情報が欠かせません。現在、中国や韓国などの国々が、感染症の拡大と、ロックダウンの段階的解除の両方について、非常に貴重な情報を持っています。中国は今、規制と隔離政策を緩和しようとしています。その間に得た情報や教訓は、後にヨーロッパ諸国や世界各国の役に立てられます。何が最も効果的な方法かがわかるからです。

もしそれぞれの国が自国のことにだけかまけていたら、このような貴重な情報はすべて失われてしまいます。もし中国政府が今、ロックダウンの緩和を試みる過程で何らかのミスを犯したのに、その情報を開示しなければ、後になってイタリアやスペインやカナダなどが、同じミスを繰り返すでしょう。

つまり、ロックダウンでさえも、グローバル化された形で行なわれるべきなのです。情報をプールし、たとえばイタリアで誰かが良いアイデアを思いついたら、誰もがその恩恵に浴せるようにするべきなのです。

集団的リーダーシップの必要性

――人々の信頼を集めるリーダーシップが不在である現在、さらなる協力と連帯はどうすれば可能なのでしょうか？　誰がその不在の空白を埋めるのでしょう？

この危機に伴う大きな問題の一つは、リーダーシップの欠如で、それはここ数年間の出来事の結果です。二〇一四年にエボラ出血熱が流行したときと、二〇〇八年に経済危機が起こったときには、今よりはるかに優れたグローバルなリーダーシップが見られました。アメリカがグローバルなリーダーの役目を引き受け、アメリカを中心に多くの国が結集し、最悪の展開を防ぐことができました。

ところが、この三、四年の間に、二つのことが起こりました。第一に、アメリカがグローバルな指導者の役割から身を引き、自己中心的になりました。自国のことばかり考え、他の国々のことは頭にない「アメリカ・ファースト」です。今やアメリカには友はなく、利害関係があるだけです。

第二に、世界全体の雰囲気が変わりました。世界中いたるところで、グローバルな敵意や不和が募っています。こうした状況の中で、私たちは今回の危機に突入したのです。そのような背景があって、この危機に対処するのが、これほど難しくなっているのです。なぜなら、協力がなければ感染症の拡大を食い止めるのは非常に困難で、経済の崩壊を防ぐのはそれに輪をかけて難しいからです。

したがって、もっとリーダーシップが発揮されることを願っています。それはアメリカ以外の国々によるものになるかもしれません。アメリカの政権は、今になってようやくこの危機の重大さに気づいたようですが、それでもグローバルな指導者の役割をいっさい引き受けようとしません。仮に引き受けようとしたところで、誰もアメリカを信用しないでしょう。今、アメリカがグローバルな行動計画を打ち出したとしても、現在のアメリカの政権をいったい誰が信頼するでしょうか？　世界中の他の国々がこの空白を埋め、一種の集団的リーダーシップを発揮することを期待しています。

――実現可能なリーダーシップが不在の状況下では、企業や、いわゆる草の根の市民が、その空白の一部でも埋めることはできると考えますか？

空白の一部は、たとえば情報を共有することで企業や組織、一般市民が埋められるでしょう。とはいえ、自らの政府に政治的な圧力をかけることでも、それは可能だと思います。もし国民が政府に、こんなふうに迫ったらどうでしょう？「いいですか、今は緊急事態です。私たちは医療機器を必要としていますが、いっそう切迫した状況に追い込まれている国々もあることを知っています。ですから、もっと責任を持ち、もっと連帯感を示したいと思います。どうか、他の国々を援助してください。その重荷を担う覚悟はできています」と。

そうすれば政府は、少なくとも一部の国の政府は、それに応えるでしょう。このような、より大規模でグローバルな連帯が見られることを願っています。それは、今回の危機に対処するのにそうした連帯が不可欠であるからだけではなく、危機が過ぎ去った後の世界にもその影響が及ぶからでもあります。

気候変動について考えてみただけでもわかるでしょう。これは、世界中で起こっている大きな危機です。それに対処するには、グローバルな連帯が必要なことは明らかでしょう。

――今回の新型コロナウイルス危機において、勝利を定義していただけますか?　新型コロナウイルスは根絶できるようなものではありませんから。

まず、私たちは新型コロナウイルス危機を戦争と考えるべきではないと思います。それは適切な比喩ではありません。突きつめれば戦争とは、銃で武装した兵士たちの殺し合いです。ところが今、状況はまったく異なります。この状況での英雄は、病院でベッドのシーツを交換している看護師たちです。今回の危機は、人々をケアすることに尽きます。殺したり、勝ったりすることではありません。もちろん、私たちはウイルスに打ち勝つ必要がありますが、どんな人も敵と見なされることがあってはなりません。

したがって、戦争や闘いや勝利という比喩は脇に置き、世界中の人々が適切なケアを受けられたら成功となるでしょう――世界中の人々をウイルスの拡散から守ることができたら、そして、世界中の人々をこの危機に伴う経済的苦難から守ることができたら、成功となるでしょう。

もし自分の国の人だけを守り、他の国々が完全に崩壊してしまったら、私はそれを成功とは呼ばないでしょう。

パンデミックを生き延びるために

――より長い人間の歴史の中、つまりサピエンスの全歴史の中で、このパンデミックはどんな意味を持っているのでしょう?

人類はもちろん、このパンデミックを生き延びます。私たちはこのウイルスとは比べものにならないほど強いし、過去にもこれよりはるかに深刻な感染症を何度も生き延びてきました。今回も生き延びることに疑問の余地はありません。

この感染症が最終的にどんなインパクトを与えるかは、あらかじめ決まっているわけではなく、私たち次第です。この危機がどのような結末を迎えるかは、私たちが選ぶのです。もし選択を誤り、ナショナリズムに基づく孤立主義や独裁者を選び、科学を信用しないで陰謀論を信じることを選べば、歴史に残る大惨事を招くでしょう。何百万もの人が命を落とし、経済は危機に陥り、政治は大混乱になります。

逆に、もし賢い選択をし、グローバルな連帯や民主的な責任を選び、科学を信頼することを選べば、そのときは、たとえ死者が出たとしても、苦しみが引き起こされたとしても、後から振り返れば、この危機は人類にとって素晴らしい転換点だったことが見て取れるでしょう――ウイルスを克服した節目だっただけではなく、私たちが内なる魔物たちを打ち負かした節目だったように。憎しみを乗り越えた時点、錯覚や妄想を乗り越え、真実を信頼し、以前よりはるかに強く、はるかに統一された種《しゅ》となった時点だったと思えることでしょう。

――最後に一つだけお訊きしたいことがあります。コロナの世界で毎朝目覚めるたびに、あなたはどのようにして恐れを克服しているのでしょうか?

コロナへの恐れを克服するために二つのことをしています。第一に、私はこの危機の間も毎日二時間瞑想しています。いや、この危機の間だからこそかもしれません。私はヴィパッサナー瞑想をしています。もちろん、他にも多くの種類の瞑想があります。どの方法に効果があるかはその人次第です。瞑想が効果を発揮しない人もいるでしょうから、スポーツをしたり、さらにはセラピーを受けたりすることもできます。オンラインで受けることさえ可能です。それでも、今回のような危機に際しては、自分の心の健康のために、毎日少しばかり時間をかけることはとても重要です。それは本当に大切なのです。

第二に、私は科学に頼ることで恐れを克服しています。つまるところ、もし私たちが科学を信頼すれば、この危機を容易に乗り越えることができるでしょう。反対に、もしあらゆる種類の陰謀論に屈してしまえば、私たちの恐れが煽《あお》られるだけで、人々は不合理な行動に走るでしょう。つまり、心を開き、科学的で合理的な目で状況を眺めれば、私たちはこの危機を脱する道を見つけられるのです。

出典

序文

Preface by Yuval Noah Harari

人類は新型コロナウイルスといかに闘うべきか——今こそグローバルな信頼と団結を

２０２０年３月15日「タイム」誌（原題：In the Battle Against Coronavirus, Humanity Lacks Leadership）

(https://time.com/5803225/yuval-noah-harari-coronavirus-humanity-leadership/)

コロナ後の世界——今行なう選択が今後長く続く変化を私たちにもたらす
２０２０年３月20日「フィナンシャル・タイムズ」紙（原題：the world after coronavirus — This storm will pass. But the choices we make now could change our lives for years to come)
(https://www.ft.com/content/19d90308-6858-11ea-a3c9-1fe6fedcca75)

死に対する私たちの態度は変わるか？——私たちは正しく考えるだろう
２０２０年４月20日「ザ・ガーディアン」紙（原題：Will coronavirus change our attitudes to death? Quite the opposite)
(https://www.theguardian.com/books/2020/apr/20/yuval-noah-harari-will-coronavirus-change-our-attitudes-to-death-quite-the-opposite)

緊急インタビュー「パンデミックが変える世界」　インタビュアー　道傳愛子

ＮＨＫ　Ｅテレ　２０２０年４月25日放送　©NHK 2020

訳者あとがき

本書『緊急提言　パンデミック――寄稿とインタビュー』は、世界的ベストセラーとなった『サピエンス全史――文明の構造と人類の幸福』、『ホモ・デウス――テクノロジーとサピエンスの未来』、『21 Lessons――21世紀の人類のための21の思考』三部作の著者で歴史学者のユヴァル・ノア・ハラリが、新型コロナウイルス感染症のパンデミックという一大危機を人類が迎えるなかで緊急に発表した見解を収録したもので、日本オリジナル版だ。

前半は「タイム」誌と「フィナンシャル・タイムズ」紙と「ザ・ガーデ

ィアン」紙への寄稿で、訳文は本書の版元である河出書房新社の「Ｗｅｂ河出」ですでに全文公開している。このＷｅｂ公開には非常に多くの反響があり、累計アクセス数は五五万回を超えているとのことだ。そして、コロナに関するハラリ氏の記事や発言内容は、ニュース番組などでも取り上げられてきた。

後半はＮＨＫのＥＴＶ特集のインタビューだ。最初は今年の四月一一日にインタビューの一部が、アメリカの国際政治学者イアン・ブレマー氏、フランスの経済学者ジャック・アタリ氏のインタビューとともに「パンデミックが変える世界」として放送された。そのときにハラリ氏の発言がとりわけ大きな反響を呼んだため、四月二五日に、今度は「ユヴァル・ノア・ハラリとの60分」として、一時間の番組をそっくり費やす形で、ハラリ氏のインタビューの全貌が紹介された。本書で取り上げたのは、その二回目の放送だ（なお、インタビューでの応答は、推敲を重ねた刊行物の文章とは当然ながら異なる。その点に配慮して訳すようにという著者側の要請があったため、逐語訳にはなっていないことをお断りしておく)。

それぞれ単独でも読みごたえ、見ごたえのある内容だが、みな切り口も異なるので、いずれも評判が高かったこれらの記事やインタビューをすべてまとめて読み、著者の目を通して今回のコロナ禍をより多面的・多角的に眺め、考える機会を提供するというのが、本書刊行の狙いとなる。

著者はいつもながら、物事を単体で捉えるよりも、むしろ広い視野を保ちながら大きな歴史の文脈の中で考察する。今回も、新型コロナウイルスのパンデミックを契機にした発言ではあるが、過去を振り返ってこれが初めての感染症危機ではないことを思い出させ、「人類はもちろん、このパンデミックを生き延びます」とあっさり言い切り、無用の不安を払拭するとともに、「眼前の脅威をどう克服するかに加えて、嵐が過ぎた後にどのような世界に暮らすことになるかについても、自問する必要がある」と、私たちの目を未来へも向かわせる。

現在の混乱の原因は多数あるが、興味深いのは、著者が挙げている、誤った二者択一の問題設定だ。これには二つある。第一は、プライバシーか健康かという問題設定で、これは、健康のためにはプライバシーを犠牲にせざるをえないという風潮を生みやすい。だが、著者に言わせれば、「両方を享受できるし、また、享受できてしかるべき」である。プライバシーの問題は監視テクノロジーの問題に直結しており、ひいては民主的な社会の在り方にもつながっている。「全体主義的な監視政治体制を打ち立てなくても、国民の権利を拡大することによって自らの健康を守」れる、と著者は請け合う。

第二は、グローバリズムかナショナリズムかという問題設定だ。この誤《ご》謬《びゅう》に流されると、今回のパンデミックを含めて現代社会が直面している苦難はグローバル化が原因であり、解決するためには脱グローバル化を図り、自国ファーストの路線を突き進むべきだということになりかねない。だが、それはポピュリズムを煽る利己的な指導者や独裁者を利するばかりで、パンデミックや地球温暖化のようなグローバルな問題の解決にはけっしてつながらない。

著者がこれまで繰り返し主張してきたように、グローバリズムとナショナリズムはけっして矛盾するものではない。ナショナリズムは同国人を思いやることであり、外国人を憎んだり恐れたりすることではないし、グローバルな団結が人類と地球環境の安全や繁栄に不可欠な時代にあって、脱グローバル化は自殺行為に等しいからだ。

これら二つの誤った問題設定を解消するために欠かせないのが信頼だ。監視テクノロジーを活かすには、そのテクノロジーを使う機関や政権を国民が信頼できなければならない。その信頼を実現するためには、民主的な体制を維持し、治安機関などではなく、中立性・独立性・透明性の高い機関が監視テクノロジーを使うと同時に、国民の側もそうした機関や政府を監視できるようにすることを著者は強く求めている。

緊急事態を口実に、政府や指導者が国民の信任を得ずに一方的な監視体制を敷いたりさまざまな権限を獲得したりする危険を、世界有数の監視国家イスラエルに暮らす著者は身をもって知っている。暫定首相だったネタニヤフが感染防止対策を理由に、野党が過半数を占める議会の閉会を命じようとしたときには、これまで政治的な発言を控えてきた著者が、「これは独裁だ」と激しい抗議の声を上げていることからも、著者がどれほど民主的体制と信頼を重んじているかが窺われる。

グローバルな時代における国家間の信頼関係については、著者はEU（欧州連合）の動向を試金石として挙げている。幸い先月、EUはコロナ復興基金に巨額の予算を充て、その半分以上は返済不要の給付金とすることを決めた。他の加盟国への財政援助を頑なに拒んできたドイツまでもが方針を転換したのは、EU内の豊かな国々が、目先のことだけを考えて自国の利益を優先しようとするよりも、自腹を切ってさえ他国を援助したほうが、長い目で見れば自国を含め全体の利益に適うという判断を下したからに違いない。「危機はみな、好機でもある。グローバルな不和がもたらす深刻な危機に人類が気づく上で、現在の大流行が助けになることを、私たちは願わずにはいられない」という著者の思いが一部なりとも実現したわけだ。

信頼と言えば、著者は科学への信頼も重視する。いいかげんな言説や偽情報に惑わされず、科学的・合理的な見方ができれば、今回のような危機も脱することが可能だとしている。歴史を顧みると、科学の進歩のおかげで、感染症の正体や対策を迅速に突き止められるようになり、それに伴って科学への信頼が増したことがわかる。「伝統宗教の権化のような組織や国の大半でさえもが、聖典よりも科学」を信頼し、宗教施設を閉ざしたり、信者に訪れないよう呼びかけたりしているのだから。

残念ながら「この数年間、無責任な政治家たちが、科学や公的機関や国際協力に対する信頼を、故意に損なってきた」ことも著者は指摘する。本来今回の危機は、世界各国の指導者にとっては、国内でも国際間でも真のリーダーシップを発揮して歴史に名を刻む絶好の機会だったはずだ。強権を掌握して肥大したエゴを満足させることや保身、責任転嫁、政敵への攻撃、身内や仲間への利益誘導にかまけている人間がいるとすれば、なんともったいないことだろう。そんな指導者にこの危機につけ込ませないためには、「私たちの一人ひとりが、根も葉もない陰謀論や利己的な政治家ではなく、科学的データや医療の専門家を信じるという選択をするべきだ」と著者は言う。

さて、国民が正しい選択をし、人類が今回のコロナ危機さえ乗り越えられればいいのか？　もちろん違う。監視テクノロジーが民主的に活用され、上下双方向に情報が流通するとともに、グローバルな信頼関係が確立された社会が実現すれば素晴らしいが、じつは、著者にしてみれば、それすら私たちにとっての究極の目的ではない。そのような社会が実現した暁には、私たちは何をするのか？　それこそが肝心で、核心にあるのは、あるいは核心の入口にあるのは、死や自らの脆弱さ、はかなさと向かい合い、生の意義を考えること、となる。歴史学者であると同時に哲学者でもある著者らしい見識と言える。

ともかく、まずはその入口にたどり着かなくてはならない。それは容易ではないが、「ウイルスが歴史の行方を決めることはない」「この危機がどのような結末を迎えるかは、私たちが選ぶ」、テクノロジー、とくに、強力な監視テクノロジー自体も、けっして悪いわけではなく、私たちがどう活用するか次第であるというハラリ氏の言葉を肝に銘じながら進んでいくべきなのだろう。

最後になったが、本書の編集全般を担当してくださった河出書房新社の揖木敏男さん、校正をしてくださったり助言をしてくださったりした方々、デザイナーの岩瀬聡さんをはじめ、刊行までにお世話になった大勢の方々に、心から感謝申し上げる。

二〇二〇年八月

柴田裕之

Yuval Noah Harari
Urgent Suggestions on the Pandemic: Articles and an Interview

【訳者】柴田裕之（しばた・やすし）
翻訳家。早稲田大学、Earlham College卒業。訳書に、ハラリ『サピエンス全史』『ホモ・デウス』『21 Lessons』のほか、ドゥ・ヴァール『ママ、最後の抱擁――わたしたちに動物の情動がわかるのか』、クリスチャン『オリジン・ストーリー』、ベジャン『流れといのち』、ケーガン『「死」とは何か』、オーウェン『生存する意識』、カシオポ他『孤独の科学』など多数。

緊急提言 パンデミック　**寄稿とインタビュー**

2020年10月30日　初版発行
2020年11月５日　３刷発行

著　者　ユヴァル・ノア・ハラリ
訳　者　柴田裕之
装　丁　岩瀬聡
発行者　小野寺優
発行所　株式会社河出書房新社
〒151-0051　東京都渋谷区千駄ヶ谷2-32-2
電話　03-3404-1201［営業］　03-3404-8611［編集］
http://www.kawade.co.jp/
組　版　KAWADE DTP WORKS
印　刷　株式会社暁印刷
製　本　大口製本印刷株式会社
Printed in Japan
ISBN978-4-309-22810-5

サピエンス全史 上下
文明の構造と人類の幸福

ユヴァル・ノア・ハラリ著
柴田裕之訳

国家、貨幣、企業……虚構が他人との協力を可能にし、文明をもたらした！ ではその文明は人類を幸福にしたのだろうか？ 現代世界を鋭くえぐる、50カ国超で刊行のベストセラー！

ホモ・デウス 上下
テクノロジーとサピエンスの未来

ユヴァル・ノア・ハラリ著
柴田裕之訳

我々は不死と幸福、神性をめざし、ホモ・デウス（神のヒト）へと自らをアップグレードする。そのとき、格差は想像を絶するものとなる。35カ国以上で400万部突破の世界的ベストセラー！

21 Lessons
21世紀の人類のための21の思考

ユヴァル・ノア・ハラリ著
柴田裕之訳

私たちはどこにいるのか。そして、どう生きるべきか。『サピエンス全史』『ホモ・デウス』で全世界に衝撃をあたえた新たなる知の巨人による、人類の「現在」を考えるための21の問い。

漫画 サピエンス全史
人類の誕生編

ユヴァル・ノア・ハラリ原案
D・ヴァンデルムーレン脚本
D・カザナヴ漫画
安原和見訳

世界的なベストセラー『サピエンス全史』を原案に、ユーモアやウィット、絵画や映画などのパロディも盛り込まれ楽しく理解できるグラフィック・ノベル。ハラリ氏本人も進行役で登場。